ant

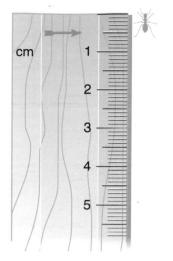

a b c d e f g h i j k l m n o p q r s t u v w x y z

- found under stones and in lawns

- feeds on plants and other insects

- leaves a smell for other ants to follow

1

beetle

a
b
c
d
e
f
g
h
i
j
k
l
m
n
o
p
q
r
s
t
u
v
w
x
y
z

- found under logs and in dead leaves

- feeds on dung and other insects

- can fly

butterfly

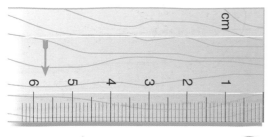

- found in gardens and hedgerows

- feeds on nectar

- starts its life as a caterpillar

centipede

a
b
c
d
e
f
g
h
i
j
k
l
m
n
o
p
q
r
s
t
u
v
w
x
y
z

cm

1

2

3

4

5

● found under stones and dead leaves

● feeds on worms and slugs

● some have more than 300 legs

dragonfly

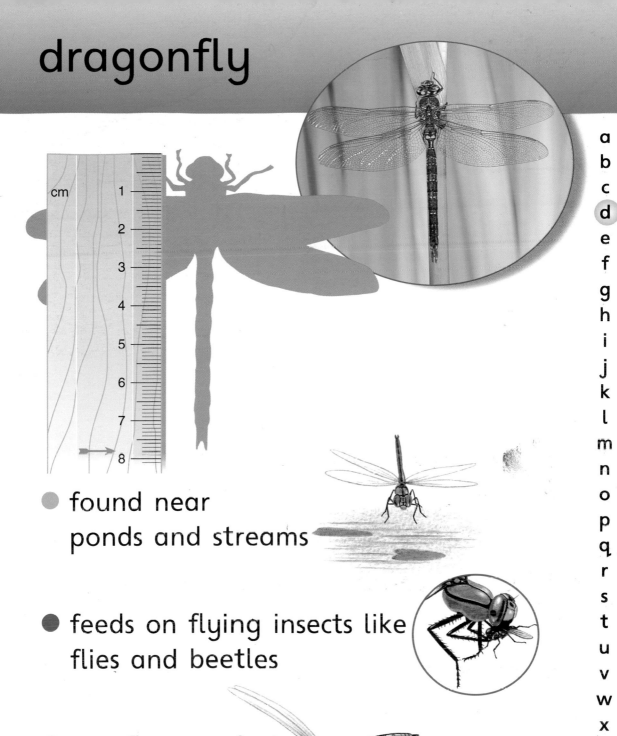

cm

1
2
3
4
5
6
7
8

- found near ponds and streams

- feeds on flying insects like flies and beetles

- can fly very fast

a
b
c
d
e
f
g
h
i
j
k
l
m
n
o
p
q
r
s
t
u
v
w
x
y
z

grasshopper

a
b
c
d
e
f
g
h
i
j
k
l
m
n
o
p
q
r
s
t
u
v
w
x
y
z

- found in long grass and thick bushes

- feeds on grass and leaves

- makes a chirping sound with its back legs

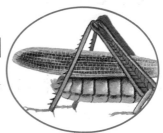

honeybee

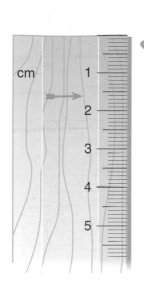

- found on flowers and in hives

- feeds on nectar and pollen

- can sting if attacked

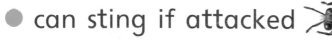

housefly

a
b
c
d
e
f
g
h
i
j
k
l
m
n
o
p
q
r
s
t
u
v
w
x
y
z

- found in many habitats

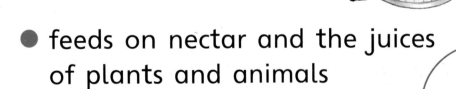

- feeds on nectar and the juices of plants and animals

- makes a buzzing sound when it flies

ladybird

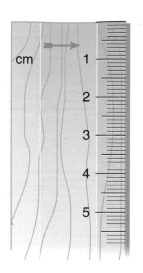

a
b
c
d
e
f
g
h
i
j
k
l
m
n
o
p
q
r
s
t
u
v
w
x
y
z

- found in parks and gardens

- feeds on small insects called aphids

- can have from two to twenty four spots

millipede

a
b
c
d
e
f
g
h
i
j
k
l
m
n
o
p
q
r
s
t
u
v
w
x
y
z

cm

1
2
3
4
5

● found under dead leaves

● feeds on rotting plants

● some can roll into a ball
if frightened

mosquito

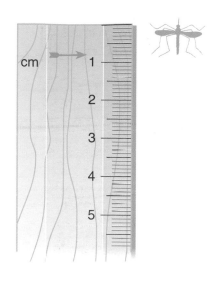

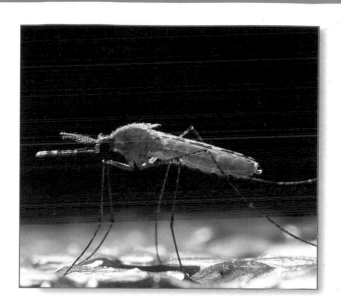

- found in many habitats

- male feeds on nectar, female feeds on blood

- some spread diseases

moth

a b c d e f g h i j k l **m** n o p q r s t u v w x y z

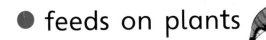

● found in gardens
  and the countryside

● feeds on plants

● flies towards light

spider

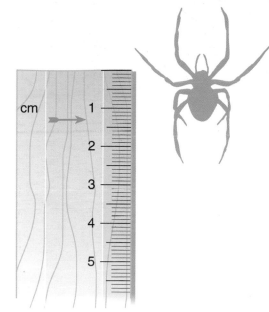

cm 1
2
3
4
5

a
b
c
d
e
f
g
h
i
j
k
l
m
n
o
p
q
r
s
t
u
v
w
x
y
z

● found in many habitats

● feeds on insects which it catches in its web

● has up to eight eyes

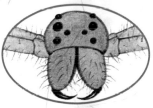

termite

a
b
c
d
e
f
g
h
i
j
k
l
m
n
o
p
q
r
s
t
u
v
w
x
y
z

cm

1
2
3
4
5

● found in many habitats

● feeds on wood and crops

● some build huge nests

wasp

a
b
c
d
e
f
g
h
i
j
k
l
m
n
o
p
q
r
s
t
u
v
w
x
y
z

cm
1
2
3
4
5

- found in gardens and parks

- feeds on fruit and sweet things

- can sting more than once if attacked

worm

a
b
c
d
e
f
g
h
i
j
k
l
m
n
o
p
q
r
s
t
u
v
w
x
y
z

cm
1
2
3
4
5
6
7
8
9
10
11
12
13
14
15

● found under the soil

● feeds on dead leaves and soil

● one kind of worm can grow up to 30 metres long